훈민정음을 창제한 세종대왕

우리나라 지폐 중 세종대왕이 그려져 있는 지폐는 무엇인가요?

독립운동가, 안중근

우리나라가 일제 강점기에서 해방된 것을 기념하고
정부 수립을 기념하는 국경일은 언제인가요?

목차

유관순	2	조수미	14
세종대왕	3	반 고흐	15
안중근	4	박세리	16
이순신	5	황영조	17
갈릴레이	6	방정환	18
에디슨	7	베토벤	19
신사임당	8	장기려	20
뉴턴	9	앙드레김	21
나폴레옹	10	윤동주	22
모차르트	11	김구	23
백남준	12	김연아	24
아인슈타인	13		

독립운동가, 유관순

일제 강점기에 일본에 항거하여 일으킨 만세 운동의 이름은 무엇인가요?

조선의 명장, 이순신

임진왜란 때 활약한 거북 모양의 전투선 이름은 무엇인가요?

이탈리아의 천재 과학자, 갈릴레이

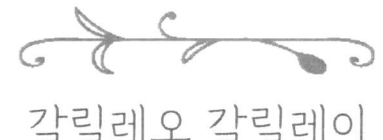

갈릴레오 갈릴레이

오늘 밤, 달이 어떤 모양인지 관찰해 보세요.

위대한 발명왕, 에디슨

토머스 에디슨

꾸준한 노력으로 잘하게 된 일이 있나요?

조선시대 화가이자 문인, 신사임당

어머니에 대한 추억 한 가지를 말해보세요.

위대한 과학자, 뉴턴

아이작 뉴턴

그림에 있는 과일은 무엇인가요?

불가능이 없는 프랑스 황제, 나폴레옹

나폴레오네 부오나파르테

우리나라의 역대 대통령을 기억나는 대로 이야기해 보세요.

600여 곡을 작곡한 음악가, 모차르트

볼프강 아마데우스 모차르트

가장 좋아하는 노래는 무엇인가요?

비디오 아티스트, 백남준

가장 좋아하는 TV 프로그램은 무엇인가요?

세계적인 물리학자, 아인슈타인

알베르트 아인슈타인

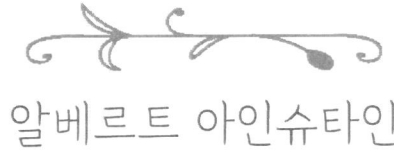

존경하는 위인이 있나요?

세계적인 소프라노 성악가, 조수미

가장 좋아하는 가수는 누구인가요?

특별한 화풍을 만든 반 고흐

빈센트 반 고흐

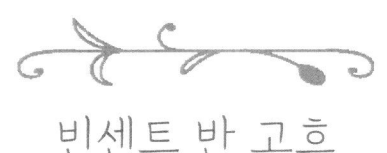

가장 좋아하는 색깔은 무엇인가요?

한국의 대표적인 골프선수, 박세리

어릴 적 즐겨하던 운동이 있나요?

금메달 마라토너, 황영조

알고 있는 마라톤 선수의 이름을 말해보세요.

어린이날을 만든 방정환

어린이날은 언제인가요?

귀가 들리지 않아도 작곡을 해낸 베토벤

루트비히 판 베토벤

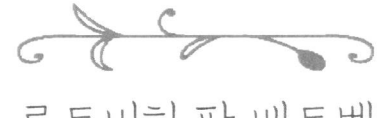

어려운 일을 극복해냈던 경험이 있나요?

한국의 슈바이처, 장기려

남을 도와주거나 도움을 받은 적이 있나요?

패션계의 거장, 앙드레김

학창 시절 가장 좋아하는 과목은 무엇이었나요?

일제강점기의 젊은 시인, 윤동주

별 헤는 밤

별 하나에 추억

별 하나에 사랑

내가 가장 좋아하는 시는 무엇인가요?

광복을 위해 애쓴 독립운동가, 김구

우리나라의 국기 이름은 무엇인가요?

피겨 여왕, 김연아

올림픽 종목 세 가지를 이야기해 보세요.